تَعَلَّقَتْ لَيْلى بِأُمِّها، وَاسْتَمَرَّتْ في عِناقِها طَوالَ
طَريقِ رُجوعِهِما إِلى الْبَيْتِ.

وَفَتَّشَتِ الأُمُّ في حَقيبَتِها، وَقالَتْ:
«لَقَدْ أَحْضَرْتُ لَكِ شَيْئًا، يا لَيْلى».
صاحَتْ لَيْلى: «أوه، ماما! إِنَّها قُبَّعَةٌ صَفْراءُ لي!»

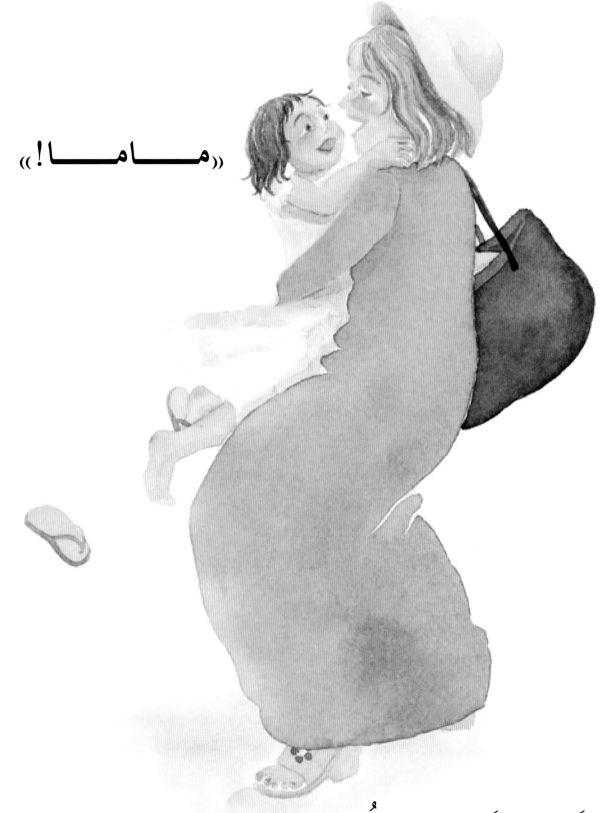

«مـــامـــا!»

رَكَضَتْ لَيْلى نَحْوَ أُمِّها. وَقَفَزَتْ لِتُعانِقَها بِشَوْقٍ.

وَصاحَتْ لَيْلى: «لَقَدْ وَجَدْتُكِ، يا أُمّي! لَقَدْ عُدْتِ إِلى الْبَيْتِ!»

قالَتِ الأُمُّ: «أَنا دائِماً أَعودُ إِلى الْبَيْتِ مِنْ أَجْلِكِ، يا لَيْلى».

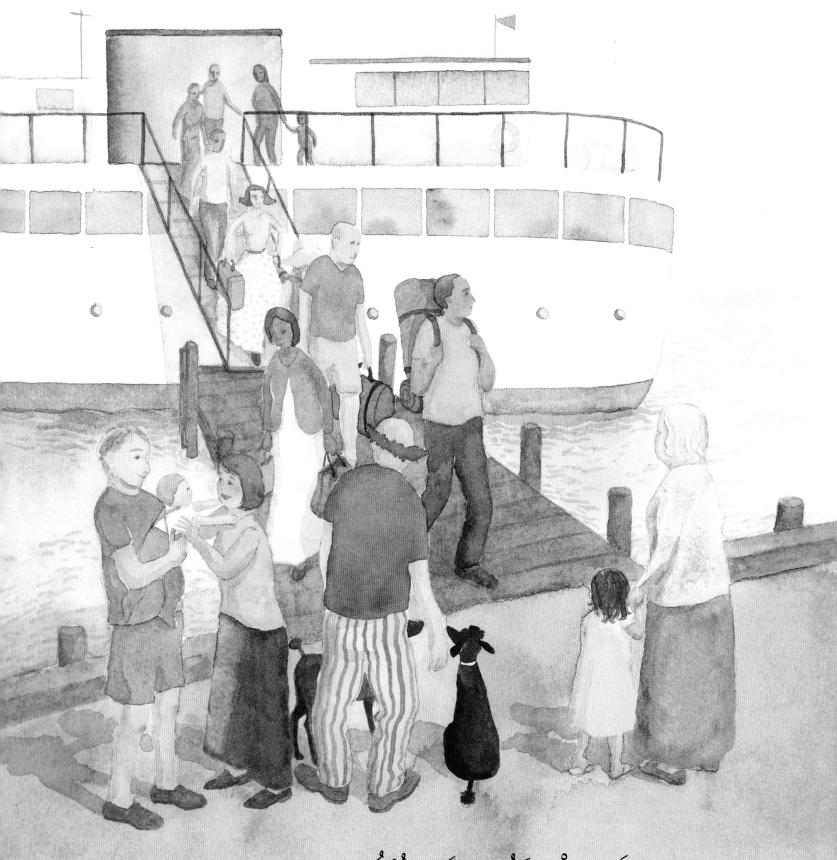

قالَتِ الْجَدَّةُ ثانِيَةً: «اُنْظُري!»

وَرَأَتْ لَيْلى قُبَّعَةً صَفْراءَ، وَسْطَ الْجُموعِ.

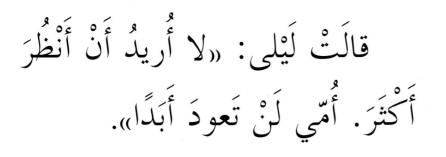

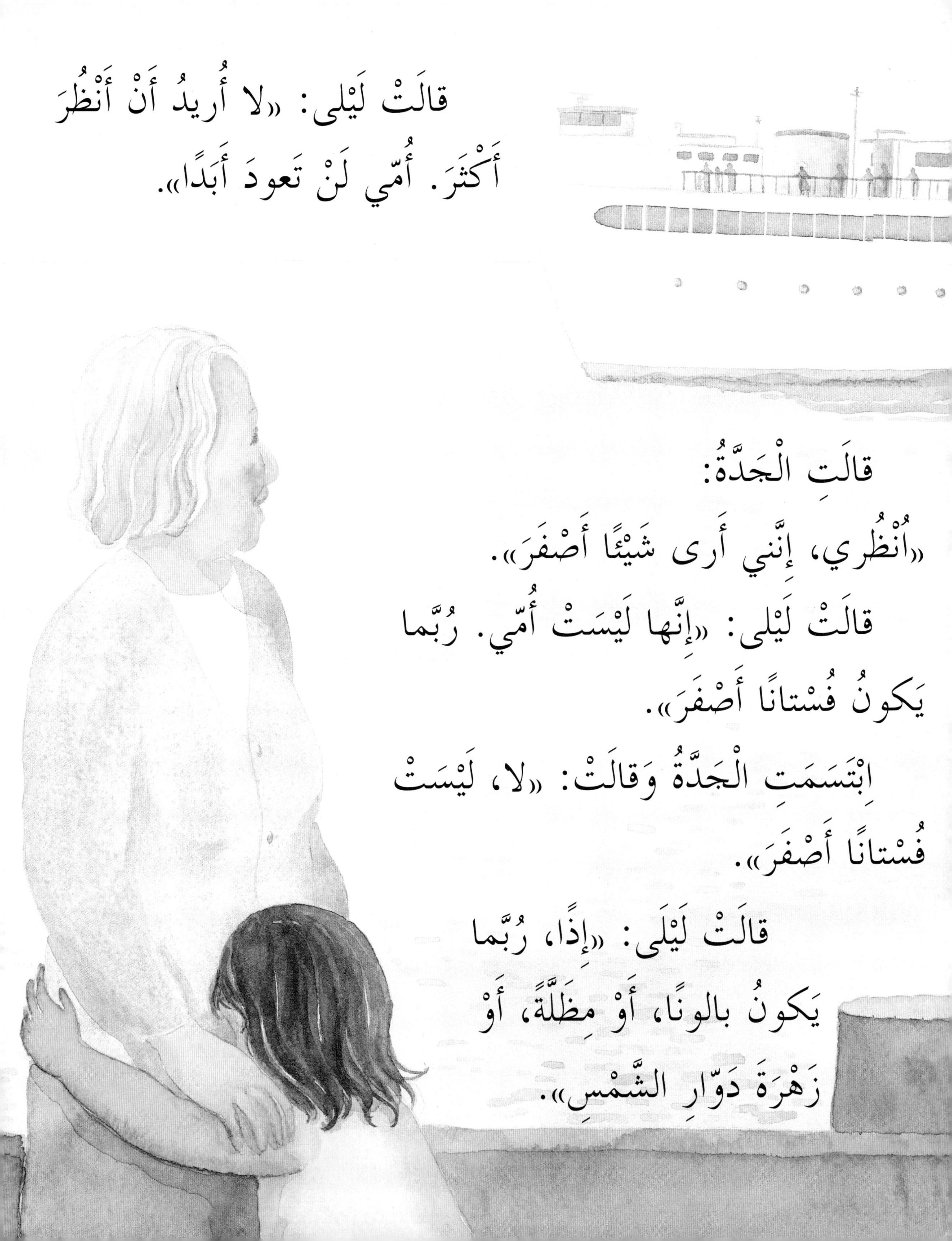

قالَتْ لَيْلى: «لا أُريدُ أَنْ أَنْظُرَ أَكْثَرَ. أُمّي لَنْ تعودَ أَبَدًا».

قالَتِ الْجَدَّةُ:
«أُنْظُري، إِنَّني أَرى شَيْئًا أَصْفَرَ».

قالَتْ لَيْلى: «إِنَّها لَيْسَتْ أُمّي. رُبَّما يَكونُ فُسْتانًا أَصْفَرَ».

اِبْتَسَمَتِ الْجَدَّةُ وَقالَتْ: «لا، لَيْسَتْ فُسْتانًا أَصْفَرَ».

قالَتْ لَيْلَى: «إِذًا، رُبَّما يَكونُ بالونًا، أَوْ مِظَلَّةً، أَوْ زَهْرَةَ دَوّارِ الشَّمْسِ».

كَبُرَ حَشْدُ الْمُنْتَظِرِينَ، وَرَأَتْ لَيْلى بُقَعًا صَفْرَاءَ فِي كُلِّ مَكَانٍ: تَنَانِيرَ صَفْرَاءَ، سَرَاوِيلَ صَفْرَاءَ، أَحْذِيَةً صَفْرَاءَ. لكِنْ لا قُبَّعَاتٌ صَفْرَاءُ، وَلا أُمُّ.

أَيْقَظَتِ الْجَدَّةُ لَيْلى عِنْدَ الْفَجْرِ، وَقالَتْ: «هَيّا، يا لَيْلى، سَتَكونُ ماما هُنا قَريبًا، هَيّا نَبْحَثْ عَنْها».

وَسارَتِ الْجَدَّةُ وَلَيْلى وَسَطَ الْقَرْيَةِ مُتَّجِهَتَيْنِ نَحْوَ الْميناءِ. قالَتِ الْجَدَّةُ: «لَنْ يَطولَ انْتِظارُنا الآنَ».

بَدَأَتْ لَيْلى تَبْكي.

وَقالَتْ: «أَعْتَقِدُ أَنَّ أُمّي لَنْ تَعودَ إِلى الْبَيْتِ أَبَدًا».

قالَتِ الْجَدَّةُ بِحَنانٍ: «بَلْ سَتَعودُ، سَتَكونُ هُنا قَريبًا».

أَجابَتْ لَيْلى: «لكِنَّ الْوَقْتَ يَمُرُّ، وَهِيَ لَمْ تَعُدْ بَعْدُ».

اِحْتَضَنَتِ الْجَدَّةُ لَيْلى، وَقالَتْ: «أَنا أَعْرِفُ أَنَّكِ تُريدينَها أَنْ تَعودَ إِلى الْبَيْتِ الْيَوْمَ، لكِنَّ الوَقْتَ لَمْ يَحِنْ بَعْدُ. سَوْفَ نَبْحَثُ عَنْها غَدًا».

سَأَلَتْ لَيْلى: «هَلِ الْغَدُ قَريبٌ، يا جَدَّتي؟»

قالَتِ الْجَدَّةُ: «أَجَلْ، يا لَيْلى، قَريبٌ جِدًّا».

لكِنَّها لَمْ تَكُنْ سِوى زَهْرَةِ دَوّارِ الشَّمْسِ.

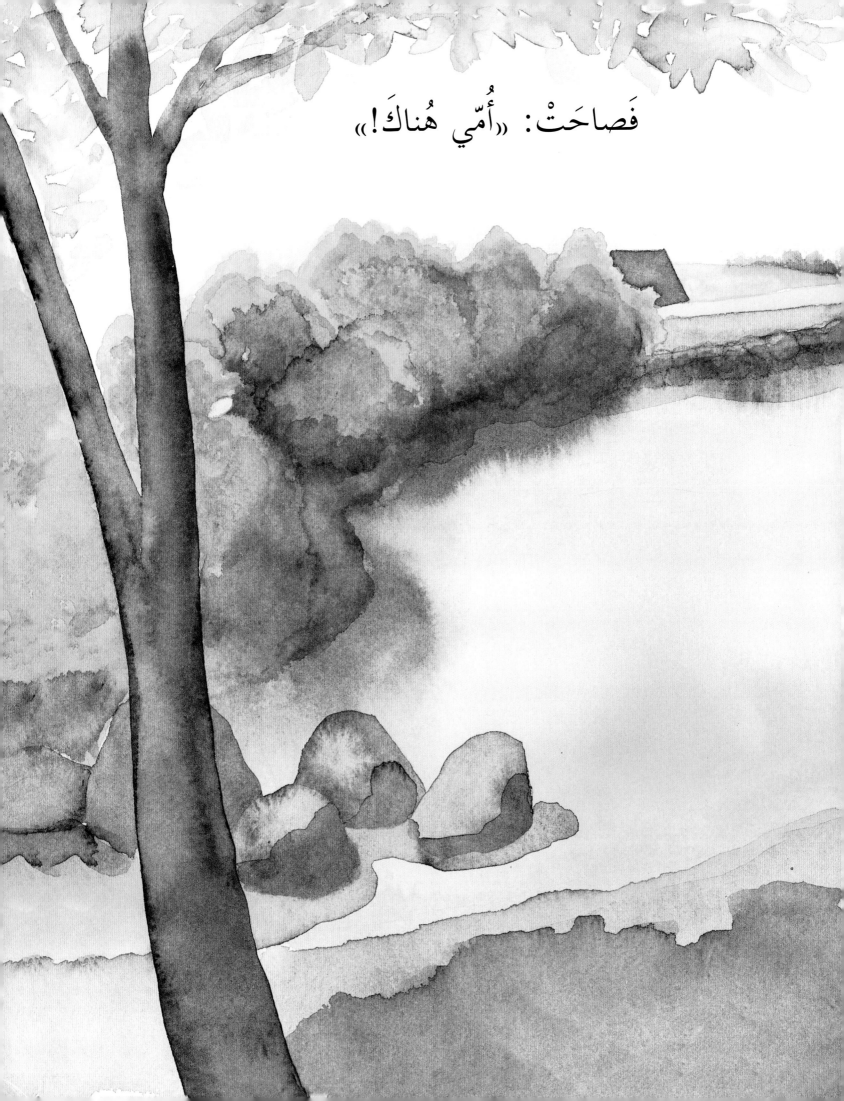

فَصاحَتْ: «أُمّي هُناكَ!»

في طَريقِ عَوْدَتِهِما إِلى الْبَيْتِ،
رَأَتْ لَيْلى شَيْئًا أَصْفَرَ، وَسَطَ الْمُتَنَزَّهِ.

وَبَيْنَما كانَتِ الْجَدَّةُ تَلُفُّها بِمِنْشَفَةٍ، قالَتْ لَيْلى:
«إِنَّني أَفْتَقِدُ أُمّي».

أَجابَتِ الْجَدَّةُ، وَهِيَ تَرْفَعُ صَدَفَةً مُنَقَّطَةً إِلى أُذُنِ لَيْلى:
«أَعْرِفُ، اِسْتَمِعي يا لَيْلى، اِسْتَمِعي إِلى هَمْسِ الْبَحْرِ».

قالَتْ لَيْلى: «إِنَّهُ يَبْدو حَزينًا، يا جَدَّتي».

قالَتِ الْجَدَّةُ: «رُبَّما كانَتِ الْهَمَساتُ تُعَبِّرُ
عَنِ اشْتِياقِ أُمِّكِ إِلَيْكِ».

لكِنَّ ذلِكَ لَمْ يَكُنْ سِوى مِظَلَّةٍ صَفْراءَ برّاقَةٍ.

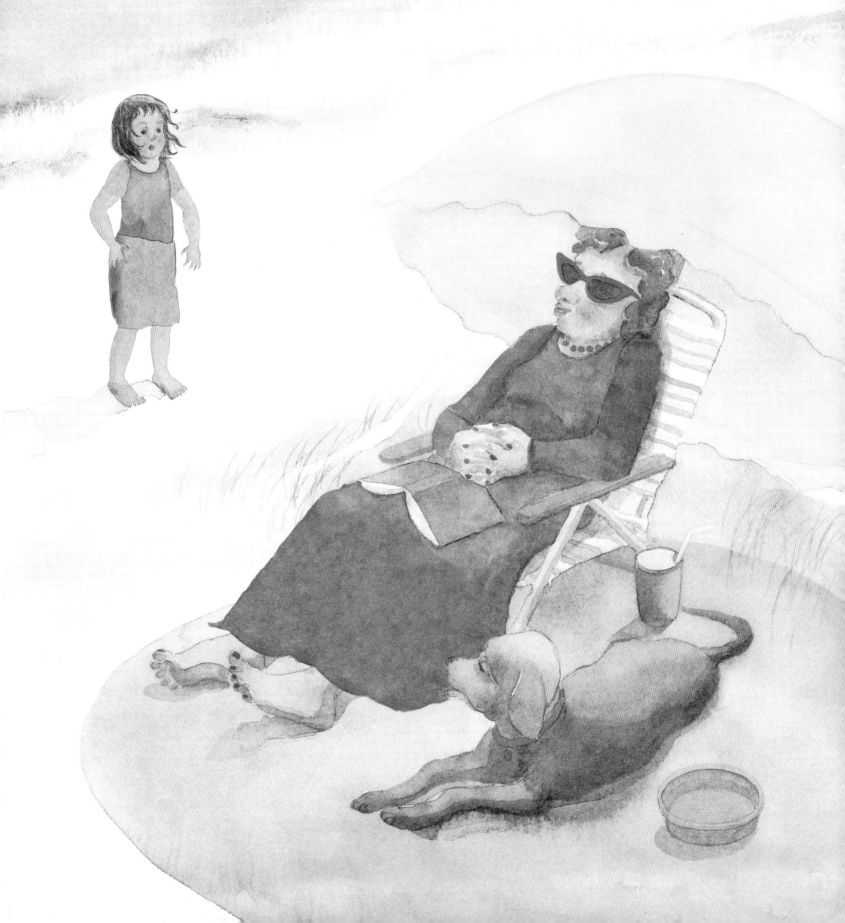

بَعْدَها، رَأَتْ لَيْلى شَيْئًا أَصْفَرَ،
فَصاحَتْ: «لَقَدْ رَأَيْتُها، يا جَدَّتي!»

في الْيَوْمِ التّالي، رَكَضَتْ لَيْلى عَلى رِمالِ الشّاطِئِ، وَلَعِبَتْ بِرَشاشِ الأَمْواجِ. بَيْنَما كانَتِ الْجَدَّةُ تَبْحَثُ عَنِ الأَصْدافِ.

قالَتْ لَيْلى: «أَتَمَنّى أَنْ تَكونَ أُمّي هُنا».
قَبَّلَتِ الْجَدَّةُ لَيْلى، وَقالَتْ: «وَأُمُّكِ تتَمَنّى أَيْضًا، أَنْ تَكونَ هُنا مَعَكِ».

لِكِنَّهُ لَمْ يَكُنْ سِوى بالونٍ أَصْفَرَ.

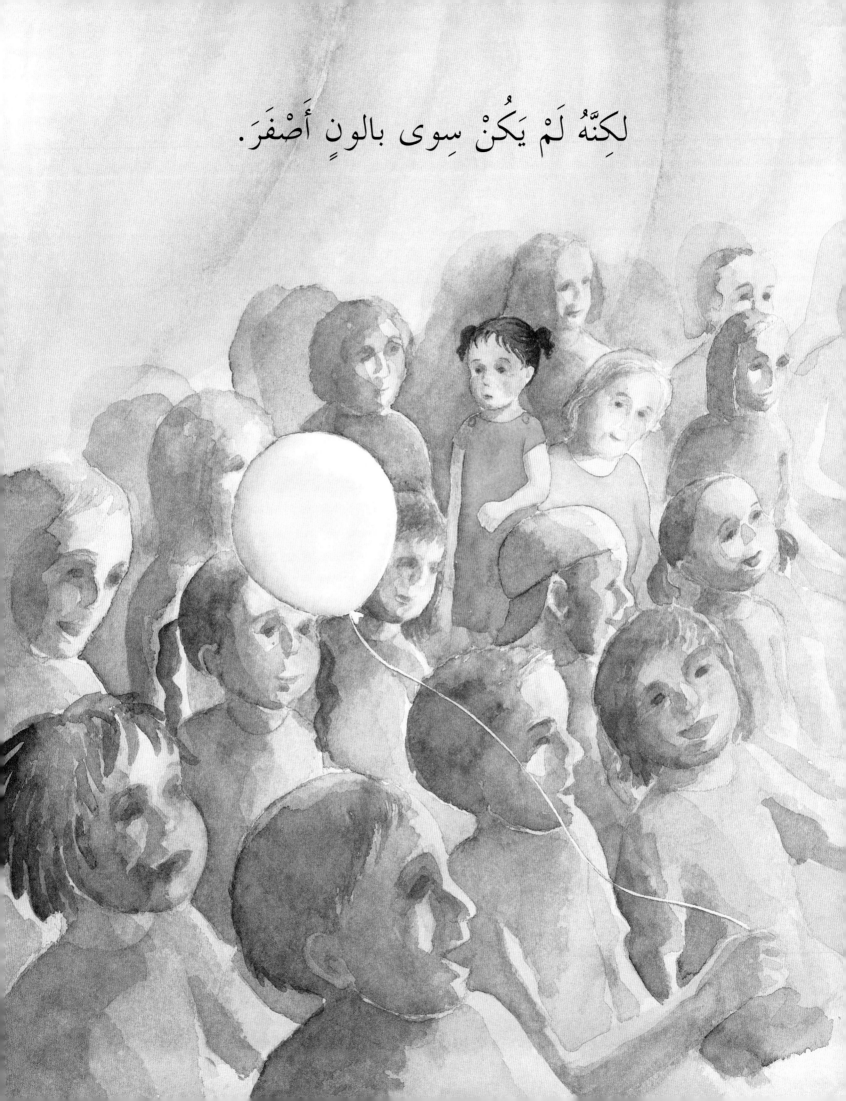

ثُمَّ رَأَتْ لَيْلى شَيْئًا أَصْفَرَ.
فَقالَتْ: «أُمّي هُناكَ!»

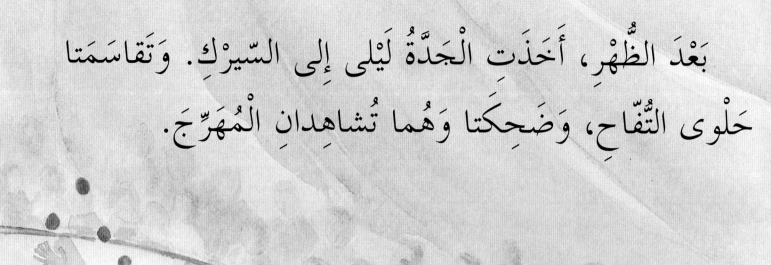

بَعْدَ الظُّهْرِ، أَخَذَتِ الْجَدَّةُ لَيْلى إِلى السّيرْكِ. وَتَقاسَمَتا
حَلْوى التُّفّاحِ، وَضَحِكَتا وَهُما تُشاهِدانِ الْمُهَرِّجَ.

قالَتْ لِجَدَّتِها: «لَقَدْ قالَتْ أُمّي إِنَّها سَتَعودُ إِلى الْبَيْتِ قَريبًا، يا جَدَّتي. فَلِماذا لَمْ تَعُدْ؟»

رَفَعَتِ الْجَدَّةُ لَيْلى إِلى حِضْنِها، وَقالَتْ: «الاِنْتِظارُ صَعْبٌ، أَلَيْسَ كَذلِكَ؟ هَيّا نَقُمْ بِما يُنْسينا مُرورَ الْوَقْتِ».

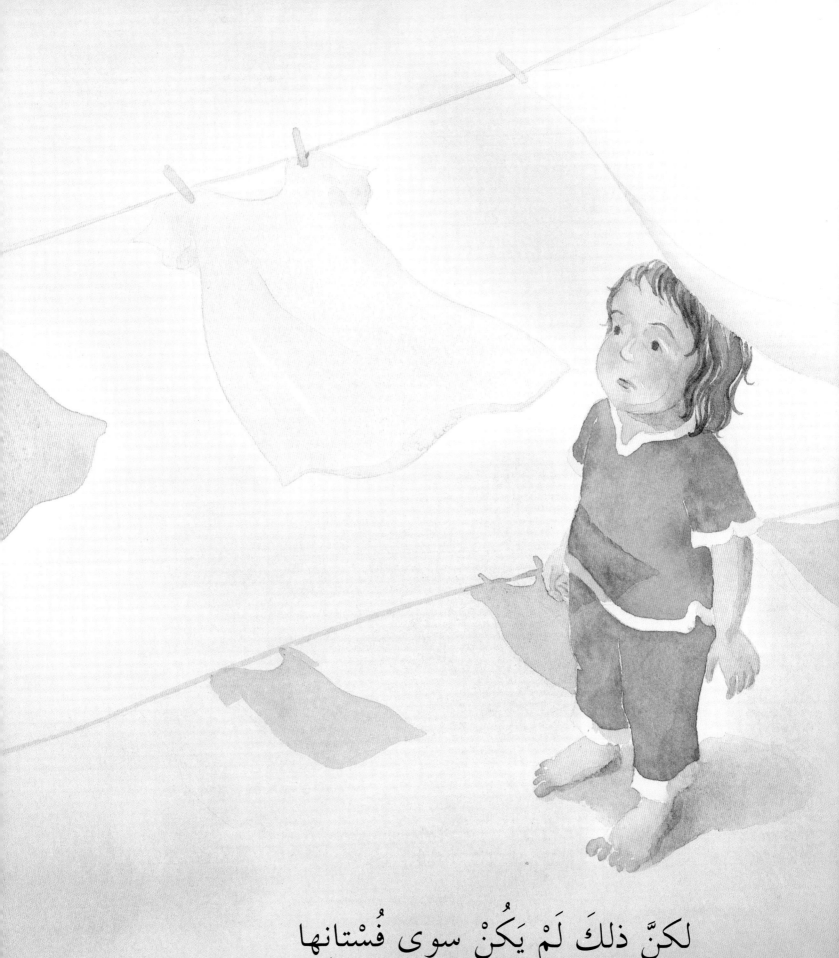

لكِنَّ ذلِكَ لَمْ يَكُنْ سِوى فُسْتانِها
الأَصْفَرِ، مَنْشورًا عَلى حَبْلِ الْغَسيلِ.

فِي الصَّباحِ، أَطَلَّتْ لَيْلى مِنْ نافِذَتِها لِتَبْحَثَ عَنْ أُمِّها.
وَرَأَتْ شَيْئًا أَصْفَرَ في السّاحَةِ.
فَصاحَتْ وَهِيَ تَرْكُضُ إِلى الْخارِجِ: «عادَتْ أُمّي!»

أَمْسَكَتْ لَيْلى بِيَدِ جَدَّتِها وَهِيَ في طَريقِها إِلى الْبَيْتِ.
سَأَلَتْ لَيْلى: «مَتى تَعودُ أُمّي إِلى الْبَيْتِ؟»
أَجابَتِ الْجَدَّةُ: «قَريبًا، قَريبًا جِدًّا، يا لَيْلى».

صَعِدَتِ الأُمُّ إِلى سَطْحِ السَّفينَةِ، وَلَوَّحَتْ بِيَدِها لِلَيْلى مُوَدِّعَةً. وَعَلا صَوْتُ صَفيرٍ، وَسارَتِ السَّفينَةُ مُبْتَعِدَةً. ظَلَّتْ لَيْلى تُلَوِّحُ لِأُمِّها، إِلى أَنْ أَصْبَحَتْ قُبَّعَةُ الأُمِّ بُقْعَةً صَفْراءَ صَغيرَةً، مِثْلَ وَرَقَةِ الزَّهْرَةِ.

قالَتِ الْجَدَّةُ: «لَقَدْ حانَ وَقْتُ ذَهابِ أُمِّكِ، يا لَيْلى».
وَعِنْدَما عانَقَتْها أُمُّها، تَمَسَّكَتْ لَيْلى بِها بِقُوَّةٍ.

قَبَّلَتِ الأُمُّ لَيْلى قُبْلَةَ الوَداعِ، وَقالَتْ: «جَدَّتُكِ سَوْفَ تَعْتَني بكِ جَيِّدًا، إِلى أَنْ أَعودَ إِلى الْبَيْتِ. سَأَعودُ قَريبًا جِدًّا. أُحِبُّكِ، يا لَيْلى».

سَألَتْها لَيْلى: «مَتى سَتَعودينَ ثانِيَةً، يا أُمّي؟»

أَجابَتِ الأُمُّ: «قَريبًا جِدًّا، سَأَذْهَبُ لِأَيّامٍ قَليلَةٍ فَقَطْ».

فَرَدَّتْ لَيْلى: «وَكَيْفَ سَأَجِدُكِ؟»

شَدَّتِ الأُمُّ على يَدِ لَيْلى وَقالَتْ:

«سَوْفَ تَرَيْنَ قُبَّعَتي الصَّفْراءَ».

أُمُّ لَيْلى تَسْتَعِدُّ لِلسَّفَرِ.

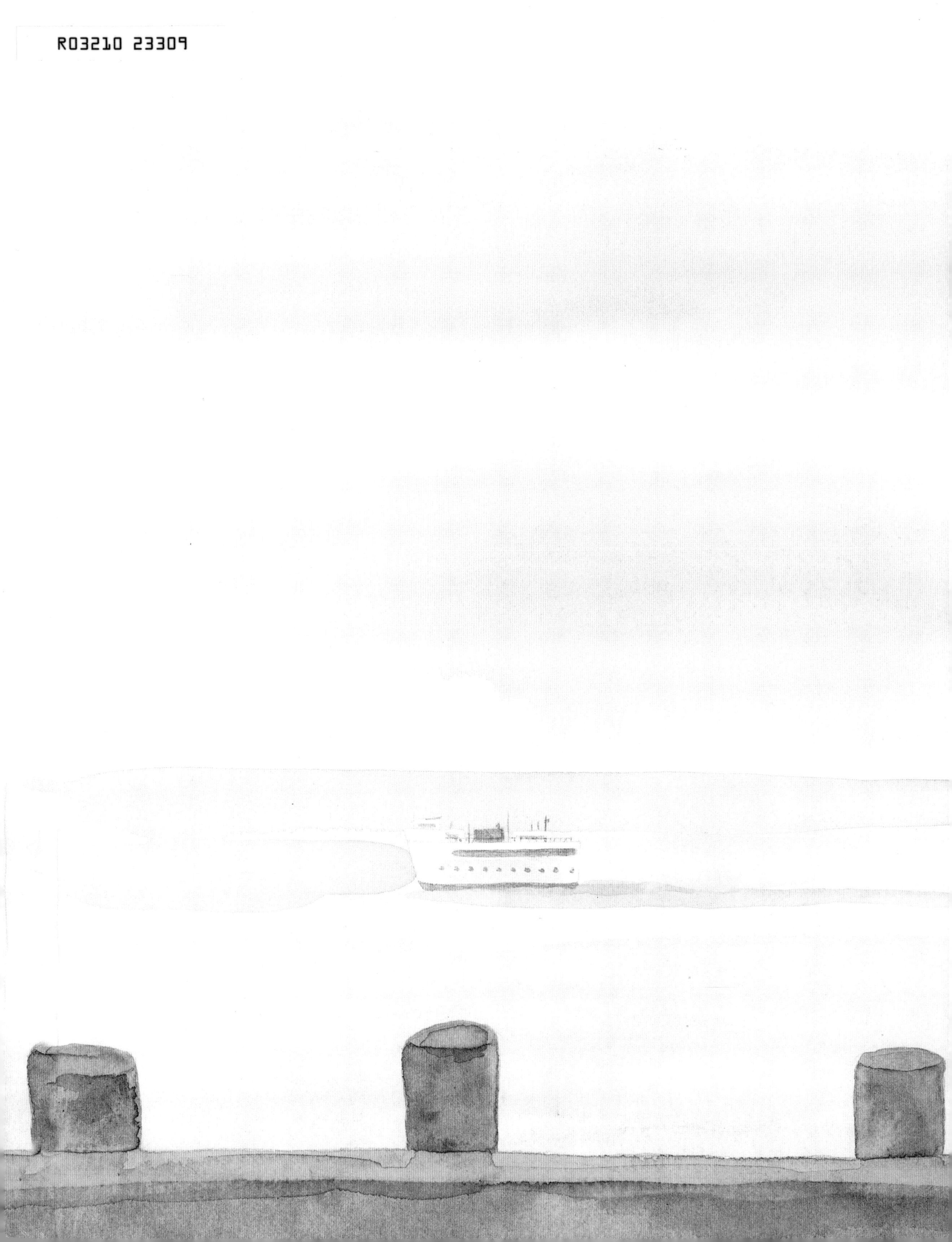

First edition, May 2003
Book design by David Caplan

ISBN 978-0-439-86407-7

1 2 3 4 5 6 7 8 9 10 62 11 10 09 08 07

First Arabic Edition, 2006. Printed in China.

أُمِّي سَتَعُودُ قَرِيبًا

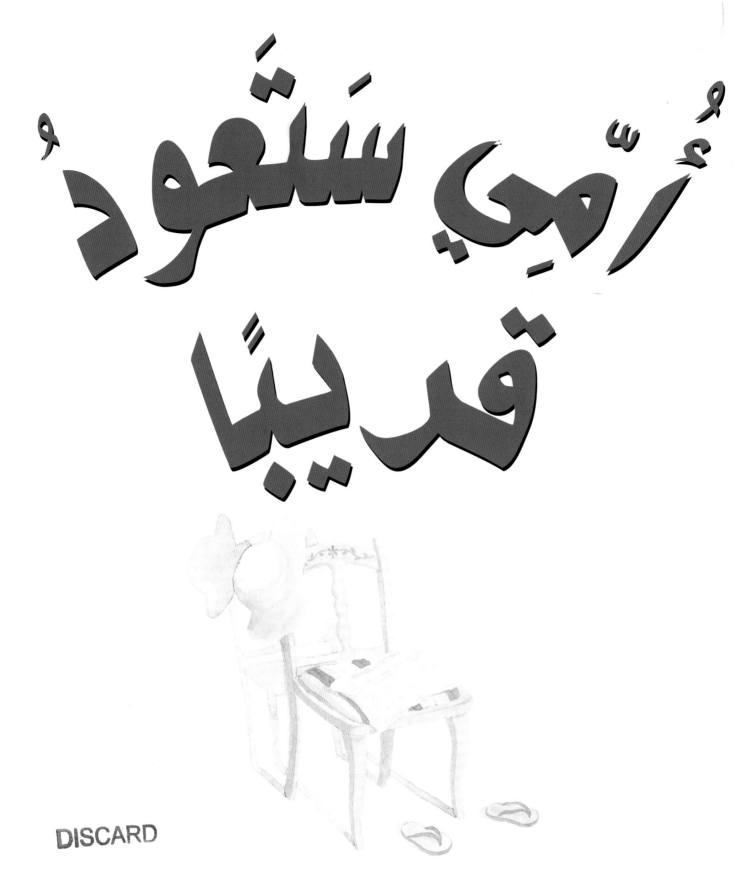

تَأْليفُ : نانسي مينتشِلاّ

رُسومُ : كيكو ناراهاشي